Once
Upon a
time

大明正德二十一年。

刚刚经历过一场武试的京城，喧嚣尚未落幕，从一笑楼去往镇邪司的路上，街头巷尾随处可闻市井百姓兴奋地谈论着那场自己并未有幸得见的大比武。然而青玄却对此充耳不闻，他只搀扶着白骨夫人，脚步匆匆，一向平静的面孔上难得地显露出几分焦急。

白骨夫人侧脸去看他，脸上带着微笑："玄奘，你可还记得我寻找你、等待你的那九世？"

青玄眉尖细微难察地一抖，他轻声对白骨夫人说："你经历恶战，身体虚弱，不要说话。"

白骨夫人却固执地说下去："不，我要说，我已经憋得太久了，或许这是我唯一的机会了……"

第一次见到玄奘的时候，白骨夫人还是个十五六岁的小姑娘，穿嫩柳青的衣裳，结一根辫子，辫梢用朱红丝带扎绑。

当然那时候她只是个普通的小姑娘，并非什么白骨夫人。

在她的记忆里，清晰地记得那是淳祐十一年的冬末。凛冬已久，整个白虎村一片枯灰的萧瑟，而她身上的柳青和朱红就犹如新发一枝春，烧着了冬天迟迟不走的后脚跟。

可惜事实却是，马上要被烧死的偏偏是她。

她被麻绳粗暴地捆在树上，被一方帕子塞住嘴巴。村民们举着火把围着树群情激奋地骂个不停，"妖女""妖怪上身"这样的字眼断断续续地钻进玄奘的耳朵。玄奘站在不远处的小坡上望，咦，那树上捆着的原来不只她一个，还有一个东西，形貌怪异，一看就知道是个妖精，看它头顶失水憔悴的绿藓和枯木色皮肤上的龟裂，八成是个树妖。

再仔细看那群村民，虽然都是粗衣布衫，但其中仍有细微差别，大多数人穿着便于耕作的短打，而站在人群之前最靠近树的却是个穿着长衣稍觉斯文的中年人，想必兼任着教书先生和祭司，在这小小村落里享有极高的威望。他微微抬起一只手，鼎沸的呼喊声就此打住，他伸手摘下塞在少女嘴里的帕子，努力温和的口吻里透出一股子虚情假意：“白玉，我问你，你可知错？”

原来她叫白玉。

那被唤作白玉的少女怒目圆睁，呸呸两声，手脚也开始在麻绳下不安分地挣扎扭动，像是一尾网中活力无限的小金鱼：“我有什么错，错的是你们，你颠倒黑白愚弄乡民，你们欺软怕硬，睁眼装瞎……”

不等她说完，中年人迅速把帕子塞回她的嘴里，转过脸时已经是一脸寒霜：“她被妖怪上身，早已经不是咱们的乡亲小白玉了，为今之计，只有和妖怪一起烧死！”

瞬间数十只火把高举，高燎的火焰舔舐着暮色，像是一团团来自地狱的冥火，看得人心惊不已。

一只火把扔在树下，火苗瞬间就舔上了少女的衣角，失水的树精本身已是好燃料，更何况它的身上还被浇了满满一坛子谷酒。熊熊大火顷刻席卷了它，毕毕剥剥的炸裂声和树妖的呻吟声混合在一起，猩红的火焰舔舐出触目的焦黑，想来地狱的惨烈也不过如此。少女白玉缩着脚，眼看小树精在烈火中被烧成一截黢黑焦脆的朽木，眼泪从她因惊惧而圆睁的眼睛里珠子样成串地滚落下来，她用力顶出塞在口中的帕子，声嘶力竭地在火焰里咒骂：“你们滥杀无辜，你们欺软怕硬，你们比妖怪更坏，你们会有报应的！”

围观者却只是静静地看着他们，火光映出一张张麻木不仁的脸。白玉绝望起来，她赌咒：“如果有来生，我一定要化为最凄厉的妖怪，取你们性命！”

诵经声就是在此刻突然响起。

那金石般的声音如清凉涧水般涌入，在混沌的人群中铺开一条道路，蒙昧的乡民不自觉地向两边分列开两队，留出一条直通火树的笔直甬道。少女白玉的视线越过火焰，一个敝旧素衣的和尚正朝自己走来，他那样年轻，脚步却稳而轻，像一阵路过的风。

他目不斜视地走到白玉面前方才停下，白玉看清了他的脸，那是一张清秀却饱经风霜的脸。这张脸温和如四月风，让人见之便觉心里安宁，连火焰的温度似乎都降了下来。他抬起手，手里端着一只钵盂。那钵盂是用久了的物件，表面的漆都已干裂脱落，里面盛着清水，钵盂微倾，清水向着火焰流泻而下。说也奇怪，不过一个小小的钵盂，里面却像有整个江河湖海，清水源源不竭，直到火焰被彻底浇熄，和尚才收回钵盂端在手里，眉目冷淡地念了一句："善哉。"

所有人都被这奇异的景象惊呆，过了很久，方才主持火刑的长衣文士才爹着胆子走到和尚身边，尽量使自己颤抖的声音显得平静无澜："阁下为什么要介入我村私事？"

那和尚将钵盂掩进怀中，他的声音冷淡如其眉目："人命关天，谈何私事，况且，这位女施主并非妖精。"

他的话当下引发一片哗然，文士睁大了眼睛："你又是什么人，凭什么说她不是妖精？"

和尚转过身来，望着眼前这一干或麻木不仁或蒙昧无知的乡民，平静地自报家门："贫僧自大宋而来，为向西方求取真经，法号玄奘。"

"砰！"

一只粗瓷大碗粗暴地砸落在桌子上，溅出零星汤花儿到那只端着碗的手背上。手是小小的手，指尖细细，指节圆圆，本应是白皙的，但此刻上面却蒙着一层灰，那是草木烧焦后附着的痕迹。

那手收回去，在主人的脸上胡乱一擦，同样附着草木灰的脸被擦出一道道痕迹，露出原本少女的白皙肤色，再往上是一双黑白分明的眼，冷冷的、愤恨的眼。

少女将一个个粗瓷碗盘用力砸放到桌子上，和这些碗盘有着深仇大恨似的。上完菜，她转身就走，空余下父亲在身后唉声叹气地向玄奘赔笑："我这个女儿什么都好，就是脾气古怪了些。"

可不是古怪的脾气？救了她的命，却像欠了她的债似的。小老儿客套地把菜向玄奘的方向推过去："乡下地方招待不周，只有些自种的菜蔬，高僧救命之恩无以为报，唯有下辈子结草衔环。"

玄奘向那盘中翠绿诱人的蔬菜看了一眼，不易察觉地皱了下眉头。

小老儿磕着烟袋，絮絮叨叨地向玄奘讲起这个村子发生的事情。原来这白虎村背面依着白虎山，白虎山自盘古开天辟地起便矗立于此，经年累月，得天地造化，难免生出些精怪。自有白虎村以来，村中民众便知白虎山多妖怪，白虎山向来是村民禁地。百余年来精怪们与村民以山为界，倒也相安无事，奇怪的是最近却频繁发生精怪杀伤村民的事件。村民忍无可忍，这才找村长商量想办法保村护民，村长从山外请了先生——也就是那位中年文士，先生自称有办法捉妖降魔。今天妖怪果然被他捉住，村民便要烧死妖怪以祭亡灵，谁知关键时候小白玉突然跳出来阻止大家，先生便说小白玉是被妖怪附身，唯有和妖怪一同化为灰烬。

多亏了玄奘及时出手，这才保全了白玉一条性命。

说到这里，白玉的父亲又要下跪，玄奘忙弯腰搀住了他。

暮色四合，这偏远山村，日出而作，日落而息，天一黑下来整个村子便寂静了下来。玄奘在客房里做完晚课，正要休息，敏锐的耳朵里却听到一声柴扉被推开的轻响。

玄奘轻轻推开窗，窗缝的窄窄的世界里，月光下一个嫩柳青的纤瘦背影正蹑手蹑脚地走远。思虑片刻后，玄奘起身，悄悄跟了上去。

白虎村依山傍水，那嫩柳青的身影直奔河的方向而去，玄奘不远不近地跟着她来到河边，她方才停下脚步。

月光下水波粼粼，那片嫩柳青似乎要化在这片波光中。玄奘躲在树后屏息望着她，她在河边静静站了片刻，突然解下身上的包袱放在岸边，然后纵身跳进了河中！

玄奘一惊，正要冲上去救人，还未到河边却生生刹住脚步。那小姑娘并非投河，她一尾鱼似的在河里自在地游来游去，撩动着水波荡漾，破碎了一河星光。没多时，她从河面露出头来，浓墨似的头发沾湿了水贴住脸颊，越发显出一个瘦小玲珑的下巴颏和一双大眼睛，仿若水妖似的。

她游到岸边，双手扳住河岸，轻巧地爬上了岸，甩一甩满头满脸的河水，背上地上的包袱，继续朝山的方向走去，留下一行迤逦的水迹，在月光下仿佛银色的一笔。

玄奘不禁好奇起来，这小小女孩子白日里刚被污蔑为妖怪上身，大半夜里就又是下水又是上山，山上乃村民禁地，她要去干什么？

白虎山山势陡峭，白玉却走熟了般如履平地，她轻巧地在山石草木间跳跃来去，最终停在了一处绝壁旁。那绝壁边缘生着一棵树，一棵瘦骨嶙峋的枯树，看上去似是新死不久。

白玉在树下坐下，解下身上的包袱，摊开包袱拿出里面的东西，竟是一沓黄表纸和一个火折子。她用火折子引着了纸放在树根处，用一块石头压住，突然开始哭。

暖黄的火光映着她的脸，大颗大颗的眼泪从她的眼窝里淌出来，噼里啪啦砸进火焰里。她向火堆里添着纸一边哭一边诉，断断续续的哭诉声借着风送进玄奘的耳朵里，玄奘瞬间明白了她在哭谁。

她在哭那白日里被烧死的树妖。

眼睛被烟火熏得生疼，泪珠子止不住地往下掉，白玉用手背擦一把眼睛，只将眼睛蹭得越发红肿。她哭着向树妖小藤诉说自己的愧疚，突然间，一声不易察觉的叹息传入她的耳朵，白玉腾地起身："谁在那里？"

既已被发现，玄奘只好现身，他双手合十向白玉微微鞠一躬："阿弥陀佛。"

见到是他，白玉收敛起了刚才那副脆弱的表情，但她也不似晚上上菜时那般恶狠狠的，令人猜不透。她笑眯眯地问玄奘："原来是大师，我的厨艺你还满意吗？"

玄奘淡淡回答："饭菜未能进口，不敢妄加评价。"

白玉讶异地瞪圆了双眼："为什么？"

玄奘眉头微微一皱："菜有荤油，僧侣戒荤。"

白玉越发惊讶，她背着手踱步朝玄奘走过来，一脸伪装地一本正经："这又是为什么？荤不好吗？"

玄奘愣了一愣，回答道："佛家忌杀生。"

"哦。"白玉拉长了声调将这个叹词说得千回百折，"那么请教大师，何为生？妖怪是不是生，活了几月几年的生不可杀，活了几百年的为什么就得去死？"

玄奘微一愣怔，原来她对自己未能救树妖一事耿耿于怀，难怪她对自己这个救命恩人金刚怒目。

不等他回答，白玉又坐回了火堆旁，火光映出她脸上的落寞之色，全然褪下了刚才的咄咄逼人、张牙舞爪。她喃喃自语："我想办法救过他的，我跟他们说，伤人的不是他，他只是个树精，在悬崖上傻傻地站了几百年，刚刚才学会离开树身去别处走走，他万万没有伤人的能力。伤人的妖怪另有其人，他们也是知道的，有人从伤人的妖怪手里脱身侥幸没死，有人知道那妖怪什么模样，他们都知道伤人的不是他。可是他们说就是他，就算不是他又怎样，他是妖怪难道不该杀吗？一开始我不明白，为什么他们明知不是他却要拿他抵罪，更加不明白，为什么妖怪就该杀？他在山上静静地站了几百年，从未曾伤人，也没有伤人的打算。后来他们把我绑在树上要一齐烧死我，隔着火光看他们的眼睛，我突然明白了，不过是欺软怕硬罢了。"

她抹一把眼泪，咬牙切齿地说："我讨厌他们，我憎恨他们。"

玄奘没有说话，许久之后，他淡淡开口："那么，你刚才去水里剪坏渔网，又可算得上是欺软怕硬？"

白玉被他的话惊得呆住，玄奘继续说下去："你去水中剪坏那渔网，不过是为报复渔人。今天参与的众人里，渔人确实在其中，但他不过是举着火把的众人之一。他既不是发起者，也不是踊跃者，你为何单单从他下手？"

不等白玉辩驳，他继续说下去："因他最易报复，他无权势、无财富，仅有一张渔网袒露于河道之中。任何人只要有心，只需要有一把剪刀甚至一片刀片，都可以割断他的网，让他颗粒无收。这一切总结起来，无非一个字，弱。"

他望着白玉，眼中既无愤怒也无谴责，只是一派平静："白玉姑娘，我说的可对？"

在他的注视下，白玉瞠目结舌、满脸涨红地望着玄奘，她一时间无法接受玄奘将她与她所厌恶的芸芸众生相提并论，却又无言以对。

玄奘却没有再说话，只是走到树下坐下来，将挂在胸前的念珠摘下持在手中，闭上眼睛念念有词。

他在念经，年轻和尚的声音仿如山涧里五月的溪水，清亮而微暖。听着他的诵经声，白玉那一颗蒙着愤恨、羞愧与茫然的心似是被半旧的拂尘轻轻扫过，拂去尘埃，重归明澈。

他在为树妖小藤超度。

白玉借着火光去看他，这和尚好年轻，不过二十余岁的年龄，他从哪里来，是如何遁入空门，他这一路上遇到过什么，他这半生有过什么样的故事……

未等她想完，玄奘却已念完了经，他站起身来，对白玉微微一欠身："人心皆有善恶，彼此互为镜鉴，愿白玉姑娘能体谅他人之恶，亦能视察己心之恶。"

说完这句话，他转身向山下走去，夜色中只望见一个逐渐渺小的高瘦身影。

夜色越发深邃静寂，玄奘在床上却辗转难眠，不由得苦笑，到底是肉体凡胎，经书能明心智却抵不得肚饿。晚间那一桌素斋被白玉故意放了荤油，他粒米未进，此刻五脏庙里闹得厉害，竟难以入睡。

窗户上突然发出一声石子击打在窗纸上的脆响，玄奘翻身起床推开窗，只见窗台下放着满满一碗素菜盖饭，想是刚做好不久，犹在散发着热气，越发显得米粒饱满晶亮，菜叶翠绿欲滴。

玄奘转头向灶房望去，果然，那灶房烟囱里的炊烟还未散尽。

窗前月光映出一条水渍踩出的小径，亮晶晶的，像洒了一地星光。

玄奘原本打算在白虎村借宿一晚就继续启程向西，没想到第二天醒来时却是大雾弥漫。

这雾着实有些惊人，昏黄黄的，人对面而站都难互相辨认。白玉的父亲强留玄奘耽搁几日，玄奘眼见雾大难行，也只好继续待在白玉家中等待浓雾散尽。

幸运的是，这一日白玉没有再作弄他，给他准备的斋饭是净素之物。

出家多年，玄奘早已养成无论身在何处皆如人在寺中的习惯，次日他如旧做早课。早课刚过，有人来敲门，打开门却是白玉。

白玉一双大眼睛滴溜溜地望着他，开口脆生生地："和尚，我是来请教你佛法的。"

她喊他和尚，可真没有礼貌，但出家人并不拘泥于这些。玄奘闪身请她进来，她倒也不客气，大摇大摆地走进来跳坐在床上，开口便道："和尚，我想了想，觉得你昨天说的话没有道理。"

不等玄奘开口她便继续自顾自说下去："你说人心皆有善恶，彼此互为镜鉴，要我体恤他人之恶，也洞察己心之恶。好，我便认为你说的有道理，我与他们皆为欺软怕硬之人，我们心中皆有恶。可是小藤呢？说到底他未曾作恶啊，为什么心中有恶的我们安然无恙，并未作恶的他却落得这般下场？这老天好不公道，你的佛好不公道。你们佛家常说因果，可我见不到善因结善果，你的佛好生虚伪。"

说完这番话，她抬了抬尖尖的下巴颏，眼睛里闪着好生得意的光彩。

玄奘沉吟片刻，作答道："佛家有轮回之说，众生在六道轮回之中循环往复，因与果并非一定同在一世之内，或许今世不过乃是前世之果，亦是后世之因。今生所欠，来生会偿，因果循环，悲喜轮回，人生苦痛，无非因在轮回之中，若超出轮回，则无喜无悲。"

白玉撇撇嘴，对这个答案好生不满："那我又怎回顾得到前世？展望得了来生？焉知你的佛不是在骗人？就算真有轮回，和尚，我问你，来世的我还记得今生的我吗？记得我今生所受的苦痛和欢喜吗？若不记得，来世的我与今生的我又有何干？超出轮回又能如何，无喜无悲，那与一石何异？这世间的花香他闻不到，这世间的美味他尝不到，纵与天地同寿又有什么趣儿？"

她站起身来，伸个懒腰做总结："过一世是一世，我不求来生，只求今世。我要痛快饮梨花酒，痛快吃梅菜肉，要有憎恨，有爱慕……"

憎恨，憎恨谁？爱慕，爱慕谁？

那和尚的眼角眉梢却平静无澜、悄寂无风。

白玉忍不住跺了跺脚。

门外突然喧闹起来，白玉好奇地推开门，抓住父亲：“爹，怎么了？”

父亲满脸焦急：“听说又有人被妖怪掳到山上去了，大家伙儿商量着怎么上山救人呢！”

白玉的脸上浮现出个古怪的微笑，她对父亲说一声知道了，就关上了门。

玄奘蹙着眉头看她：“发生了什么事？”

白玉一副无所谓的口吻：“没什么，有人在山上失踪了。”

玄奘眉头一紧，朝外望去，屋外仍是黄雾蔽日，他喃喃道：“这雾来得蹊跷，此时有人失踪，怕是有妖物作祟，村民皆无降妖的本事，匆忙上山去怕是枉送性命。”

看他这意思竟是要上山寻人，白玉忙跳起来拦住他：“有什么大不了的，他们不是自以为已经把作祟的妖怪烧死了吗？兴许那人根本不是被妖怪捉去，只是自己在山上玩呢！”

玄奘的眉头皱得愈发紧：“性命攸关，希望白玉姑娘不要拦我去路。”

白玉索性在门槛上坐下来真正拦住他去路：“和尚，你不是去取西经的吗？不是去西方找寻普度众生的大智慧的吗，只管上路去取你的经就是，管什么眼前邪魔作祟。”

玄奘望着她，一字一句掷地有声道：“不惜眼前命，何必取西经？”

他的眼睛太过锋芒雪亮，白玉像是受了蛊惑一样，忍不住站起来挪开了身子。

等到玄奘走出门去她才反应过来，蹦跳着跟上去：“和尚你等等我呀！”

越往山上去，这诡异的黄雾就越是浓稠，白玉不得不紧贴住玄奘攥着他的衣袖，小心翼翼地贴着他前行。

山路漫长，少不得要找些话来说，白玉绞尽脑汁地搜刮着话题，她问玄奘：“和尚，你怎么看妖怪吃人？”

玄奘淡然回答：“杀生是错。”

不小心踩到一个小石子，脚下打滑，白玉一个趔趄险些栽倒，幸得玄奘伸手一搀才稳住脚步。

黄雾里无人看到，有个少女的脸红了那么一红。

那脸红了一瞬的少女继续着话题说下去：“那我问你，妖怪吃人是错，那人吃妖怪便不是错了吗？妖怪皆由万物修行而来，兔子精在成精前便是只兔子，云雀精在成精前也不过是只云雀，侥幸受蒙呢，便有成精的造化，倘若不幸，便沦为人盘中之餐。如此说来，人害妖在先，妖害人在后，有来有往罢了，人何以能编造出所谓正邪善恶的鬼话来自欺欺人呢？”

她仰起脸，眼巴巴地等着和尚玄奘给自己个解释，没有料到，那年轻和尚却只是长叹一口气，老实承认道："出家人不打诳语，我亦不知。"

他一向具有抚慰人心力量的声音里竟前所未有地透出些凄凉和茫然来："如你所说，人与妖互相倾轧，但互相倾轧的又何止人与妖，我不知众生为何互相倾轧，亦不知如何方能化解倾轧。我想，在西方如来世界或有答案，这也是我西行的目的，求真经，度自己，度世人。"

他眼角眉梢落寞中的坚毅令白玉怦然心动，她抓着他的衣袖，踮着脚尖努力望着他，问："如果到了西方世界，佛不如你所想的呢？"

这问题过于尖锐，那年轻和尚蹙眉思考了许久，才悠悠吐出一口长气道："那我便自成佛。"

没有回答，攥着他衣袖的那只手也突然间撒开，玄奘伸手一捞，只觉身边空空，白玉早已不见踪影。

玄奘的心"咯噔"一下，这小姑娘怎么无端端突然失去了踪影，他不由得高声喊道："白玉姑娘！白玉！"

倘若相国寺的师兄弟们在此，恐怕会觉得惊讶，一向沉稳有余、轻声细语的玄奘师兄，怎么竟也能发出此等惊慌的高喊声？

就在玄奘以从未有过的惊慌姿态满山胡乱奔走寻找白玉的时候，他万万想不到，白玉此刻竟安稳地坐在妖精的洞府里。

洞府里的虎皮褥子百年来早已经被坐熟了，摸上去就令人觉得舒服，白玉蹭一蹭手背，感受着这熟悉的光滑温软，她的对面坐着洞府的主人雾山君，正盯着她，一张脸仿佛阴沉得要滴下水来。

蹭够了虎皮褥子，白玉开口："雾是你下的，人也是你杀的，你想留下那个和尚，对不对？"

雾山君阴沉着一张脸："是又如何？我近来天劫将至，需得好好做准备，吃一个人就多一分底气，至于那和尚，他乃有为高僧，吃他一人便抵得过数百凡人。"

白玉撇撇嘴："倘若我求你不要伤他性命呢？"

雾山君大吃一惊，他见鬼似的打量着白玉："你中了哪门子邪？前几日我掳你村中邻里你尚且不出言阻止，何以一个过路的和尚就让你向我祈求？"

白玉跳下虎皮大椅："那些村民，我不喜欢，你吃便吃了；这个和尚，我是喜欢的。"

雾山君惊骇地望着她，过了许久才终于消化下这句话，堂堂白虎山精怪之首雾山君难得地磕磕巴巴起来："你说什么，你喜欢上了一个和尚？"

白玉扁着嘴耷拉着眉一脸无奈："可不是吗，我就喜欢这一个人，可不许你吃了他。"

她的话软下来，眼巴巴地瞧着雾山君："当年你度天劫，我误打误撞救你一命。这些年来，我从未向你祈求过什么，我只求你这一次，放过他。"

雾山君哑口无言，半晌，才道："他是绝七情断六欲的僧人，且以西行取经度苍生为己任，你为何会喜欢上他？"

白玉的脑海中瞬间浮现出无数个玄奘，举着钵盂用清水浇熄火焰的玄奘，火光中为小藤超度的玄奘，一字一句笃定地说着"不惜眼前命，何必取西经"的玄奘，落寞而坚定地说"那我便自成佛"的玄奘……真奇怪，与他相识不过短短数日，倒像是已经过完了一生似的。

白玉看着雾山君，掷地有声地说："我就是非他不可了。"

雾山君无奈，谁让自己被她攥住了救命之恩这个把柄？

白玉见他表情便知他内心已应，欢欣鼓舞地就要走，雾山君喊住她："可要我再把这雾多下几天？"

白玉瞪圆了眼睛不解地看着他："多下几天做什么？"

雾山君一头雾水："当然是多留他几天，你难道不想多留他在眼前几天？"

白玉扑哧一笑，她挥挥手："不用，我留他做什么？我要和他一起走的呀。"

雾山君闻言大惊，大步流星走到白玉面前："你要跟他走？"

白玉踢着脚下的小石子儿："是呀，他说要去西方求取度世人之法，看他的佛到底是否如他心中所想，如果不是，他就自成佛。我想着，万一佛真的不如他所想他自己又成不了佛呢，兴许他会还俗就不做和尚了，万一他不做和尚了，眼前出现的第一个姑娘不是我，那岂不是太糟糕了。"

雾山君瞠目结舌地望着她，半天才啼笑皆非又恨铁不成钢、咬牙切齿地道："你这个……"

他最终什么都没有骂她，只是从手上摘下一串珠子套在她手腕上："这串珠子随我多年，现在我把它送给你，西行路上多险阻，盼望它能保佑你吧。"

白玉拨弄着手腕上的珠子，怯怯地问道："我和他是上山来找失踪村民的，那村民……"

雾山君气得脸都要变形了："和尚不让吃就罢了，现在连村民也不让吃了？"

白玉不说话，只是怯怯地看着他，半晌，雾山君大手一挥："滚滚滚，你们滚下山后我就把他踹下山去。"

白玉出洞府的时候，黄雾已经在逐渐消散，她脚步轻快地满山奔跑着寻找玄奘，终于听见玄奘的呼唤声，白玉眼珠子骨碌一转，坐到地上，随手拿起一块石头对着脚踝狠狠一敲。

"嘶，真疼啊。"她忍着痛提高声音，"和尚，我在这里！"

那年轻和尚的身影渐渐近了，他一改往常的淡定从容，跑得脚步混乱，满脸是汗："你去哪里了？"

他满脸的汗让白玉看得内心欢喜，她随口扯瞎话："我也不知道，醒过来就在这里，脚踝还扭伤了。"

她扭了扭脚踝展示伤口，一脸无辜地望着玄奘："我自己下不了山了。"

无法，玄奘只好背她下山。

这和尚看似单薄，但竟有宽阔的肩背；看似冷淡，肌肤却也是温热的。伏在他肩上，将脸颊贴在他凸起的肩胛骨上，白玉内心异常安心，那和尚却只是一语不发地向山下走，脚步坚定。

白玉用余光去瞟和尚的侧脸，突然之间大呼小叫起来："和尚，你的耳朵怎么红啦？"

下一秒她又坏心地补一句："和尚，你是出家人，可不能打诳语啊。"

玄奘唯有一言不发。

到山下时，他的耳朵红得就像两簇火焰。

从他背上跳下来前，白玉坏心地对着他的耳朵轻轻吹了一口气。

雾山君说到做到，玄奘与白玉下山后不久，被掳走的村民就在河边被人发现，他完好无损，只是不记得这一天内发生了什么。

晚上黄雾开始消散，到第二天玄奘做完早课后，雾已散尽，前路尽现，是该走的时候了。

白玉的父亲送他出村子，嘴里不停地替白玉向玄奘道着歉："这丫头性格就是古怪，救命恩人要走了都不知道来送一程，不知道又跑去哪里野了。"

他自然想不到，白玉这一野，打算直接野到西天佛国去。

一出白虎村，玄奘就感觉到了后面不远不近地跟着的小尾巴，他不易察觉地顿了顿脚步，旋即就加快了步伐。

他以为那尾巴很快就会自行离去，却没想到低估了她的毅力。

她竟跟着他，一路到了南苗境地。

从白虎山到南苗有千余里路程，以玄奘的脚程，倘若路上风平浪静，原本该在一个月内到达，谁知这一走，路上虽无波澜，竟走了将近三个月。

离开白虎山时尚是暮冬时节，到南苗时却已春暖花开，南苗本就湿热，这个季节更是百花齐放。玄奘沿着山谷走，一路上只见奇花绽放，馥郁的花香在暖热的空气中显得水汽泱泱，仿佛伸手一攥就能从指缝里流淌出娇红嫩绿一般。

玄奘目不斜视地在百花丛中穿行，毫不怜香惜玉地拨开眼前的重重红尘迷障，可是任谁见了都会觉得奇怪，这年纪轻轻的和尚，脚步怎的如此缓慢？

身后突然响起歌声，专属于少女的嗓音，清脆婉转，在这满山腹的花丛之上，如蝴蝶一般蹁跹。

三个月了，玄奘终于第一次回过头："白玉姑娘，我劝你回家去吧。"

看到他回头，白玉的脸上露出欣喜的表情，玄奘克制不住地打量着她的面孔，风餐露宿疾行三个月，她黑瘦了很多，显得下巴颏愈发尖细，一双眼睛也越发乌黑明亮。

她出门时想必是偷了她爹的衣裳，打扮得小老头儿似的，她咧着嘴对玄奘笑，一副志得意满："我就知道你肯定会回头的。"

玄奘皱着眉头，只是重复那句话："回家去吧。"

白玉拉一拉肩上的包袱，倔强地撒谎："我才不，我要去西天取经求真理的。"

玄奘叹息："你非佛门女尼，三千烦恼丝尚在脑后，何苦求什么经，问什么道？"

白玉伸手摸摸头发，这一路上追逐着他的脚步，她的鬓发早已凌乱，她狠狠心拽散发髻，一头烦恼丝顷刻流泻委顿在肩上，她攥住一把乌黑暖热的头发："那我就剃发。"

玄奘尽量放空眼神不去看她，只是道："剃发即断情，发落地，人四大皆空，六根清净，无欲无求，无爱无憎。"

白玉被他气得干瞪眼，半晌，她将头发重新挽回去："和尚，我问你，这一路上，你放慢脚步，可是在等我？"

玄奘正欲开口，她却提前一步堵死他后路："和尚，出家人不打诳语。"

玄奘抬起眼睛凝视着她，像是过了沧海桑田那么漫长的时间，他终于开口："我……"

他没能说完剩下的话。

这原本花香草绿的山腹，突然之间，狂风骤起！

狂风席卷着黄沙汹涌而至，摧折了满山娇嫩鲜艳的草木。白玉被狂风拍倒在地上，她眼睁睁地看着一只巨手凭空出现，像捏住一只蚂蚁那样捏住了玄奘，然后迅速消失在了黄沙中。

汹涌的黄沙劈头盖脸地拍下，白玉昏死过去。

再醒来时，眼前竟是熟悉的洞府。

白玉惊愕地望着眼前的一切，嶙峋的怪石，滴水的钟乳，没错，这是雾山君的洞府。这是白虎山，白虎山与南苗相距千余里，她为什么会出现在这里，玄奘，玄奘呢?

昏迷前那骇人的场景再次浮现于脑海中，白玉挣扎着起身，却惊骇地发现按在虎皮褥子上的手，她竟丝毫感觉不到这坐熟了的皮草的光滑与温软。

雾山君抱着一只匣子走进来，见到白玉已醒，放下匣子长叹一声："终于醒了，不枉我一场辛苦。"

白玉脱口而出："玄奘呢，我怎么会在这儿？"

雾山君皱着眉头，用抱歉的口吻将当日之事娓娓道来："你们当日在苗疆遭遇南苗卷帘，他妖力远胜于我，感应到珠串的异动后，我尽力尽快赶到苗疆，却无力救下你们，玄奘已葬身于卷帘腹中。"

他叹一口气，颇有些惋惜的意思，早知玄奘迟早会被别的妖怪吞入腹中，倒不如当日自己先下手!

白玉如受当头棒喝，耳中一片轰鸣，玄奘死了，被卷帘杀死了……

他还没有对她说完那句话!

雾山君蹲下身来抚摸着那只匣子："至于你……"

他推开匣子，那里面装着的东西渐渐袒露于白玉的视野中，竟赫然一副白骨："这便是你，我到南疆时你身已死，我无力使你还生，只能将你的尸骨带回白虎山，同时尽力保全你的魂魄。"

原来如今的自己是魂魄。

白玉望着自己匣子中已化为白骨的身体，难怪自己无知无觉，原来自己早已化成了一副白骨。

雾山君解释道："曾有人传授我一个怨骨之术，为含怨而死之人保全魂魄，将枯骨选址存放，汲天地精华，可长生，却……终成妖……白骨之妖。"

他望着白玉："这是度人为妖之法，如今我已保存了你的尸骨，保全了你的魂魄，做妖，或是魂魄如烟消，我尊重你的选择。”

白玉凝视着那副枯骨，像是过了一整个千年，她轻轻地却笃定地开口：“他对我说过，六道众生，皆在轮回之中，为再见他一面，我甘愿做妖。”

白玉记得，自己一副白骨埋藏于白虎山下，是在淳祐十二年的冬天。

那是雾山君为她选的墓址，白虎山脚下，灵气汇聚之地，将白骨葬于此处，若得造化，一二百年间便可成妖，届时，白玉将不再是白虎村的村民小白玉，而是白骨精。

而这二三百年间，白玉的魂魄将困于墓穴前的方寸之地，无法离开。

魂魄被一副白骨锁住，只能守着白骨，待来日魂魄附于白骨之上，此术方算大成。

锁在墓前的岁月是枯寂无聊的，除了雾山君每日下山看她与她说会儿话，其他时间里，白玉便只好坐在自己的墓碑上，望着这四周，回想着过往。

往事在回忆中发酵，最终变成酒，醉人而辛辣，甘美又苦涩。

往后方望，那条小径她曾和玄奘一起走过。一次是玄奘跟踪她，一次是她和玄奘一起上山去找被雾山君掳走的村民，白玉痴望着那条小路，盼望着有一天玄奘的转世能从这里经过。

一年过去，十年过去，三十年过去……

大宋的年号从淳祐变成了宝祐，理宗皇帝驾崩，度宗皇帝即位，旋即蒙古大军灭了宋，忽而又起了红巾军赶走了蒙古人……雾山君给她带来这世界的消息，白玉在心里默默数着，一百八十年过去了。

这条小路上后来经过了商旅、顽童、进京赶考的书生，这条小路后来被荒草遮蔽，白玉未曾见到玄奘。

她问过雾山君，可有玄奘转世的消息，雾山君都打着哈哈应付过去，他不过是个白虎山上的小妖精头子，天下之大，他如何能神通广大？白玉便不再追问，只静静等待着玄奘不期而临。

永乐十八年的春末，雾山君下山来看白玉，告诉她，自己有预感，近期白玉的怨骨之术有大成的迹象。

雾山君走后，白玉坐在残破的墓碑上痴望已被荒草遮蔽的小径，已经有五十年无人从此处经过了，经过百多年的战乱和灾荒，白虎村早已被遗弃，白虎山早已成不毛之地。

倘若真有转世，玄奘现在何处？他是个白发老人，抑或是垂髫小儿，还是依旧当年那好看的年轻和尚？

耳畔突然传来木屐踩在荒草上的沙沙声，白玉突然战栗不已，她直起腰来伸长脖子往荒草丛中望去，突然间眼泪蓄满了眼眶。

他来了，等了整整一百八十年，他到底来了。

依旧是当年模样，依旧是当年僧袍，烈日毒辣，他戴着斗笠，用手拨开眼前的荒草，朝着白玉墓碑的方向走来。

你是来找我的吗，魂魄白玉呐喊着，然而那年轻僧人却不能听到。他走到墓碑前停下，蹲下身来，擦拭掉那残破墓碑上积年的尘埃，白玉望着他，那手指拂过墓碑，如拭过她脸颊的泪。

“白玉之墓。”那僧人轻轻念出墓碑主人的名字。白玉拼命呼喊着他：“是啊，是我，我在这里已经等你一百八十年了”

年轻的僧人却自顾自叹息道：“众生皆苦，阿弥陀佛。”

然后他盘腿在墓碑前坐下来，口中念念有词，那词白玉何其熟悉，一百八十一年前，他在白虎山绝壁前小藤枯树下为小藤超度念的便是这段经文，那时他让她觉得暖，现在却只让她觉得彻骨的寒。

他忘记她了。

她在这墓碑前守着自己的枯骨等了他一百八十年，忍受着彻骨的孤寂和绵延不绝的思念，只求与他再续未了前缘，听他说完当年未讲完的那句话。

他却不记得她了，只当她是芸芸众生中的一分子，沉沦于苦难的众生之一。

望着玄奘远去的背影，白玉已经整整一百八十年没有感知过“痛”的魂魄突然间像有了心脏，那陡生的心脏痉挛着向四肢百骸输送着“痛”这种感觉。白玉低头望去，惊骇地发现自己的躯体竟已化成累累白骨，而在胸腔里，一颗丑陋的心脏正扑通扑通跳动着。

突然间，眼前的墓碑崩裂！

昏倒前，白玉的耳边回响起雾山君那句话：怨骨之术，近日有大成的迹象……

她的怨骨之术，当真成了……

白玉再醒来时已经在雾山君的洞府里，雾山君满脸带笑地恭喜她：“怨骨之术大成，我就说我堪舆风水学得不错。”

他又挠挠头，承认道：“确切地说，一百五十年前路过白虎山被我吃掉的那个风水先生竟然不是江湖骗子。”

白玉却没有搭理他造作的幽默，挣扎着爬起来：“我要去找玄奘，他刚刚路过白虎山还没有走远，我一定能追得上他……”

雾山君按住她，脸上起了黑云：“你怎么就不明白，转世即新生，他已经是不记得你的另一个人，刚才他路过你的墓碑看见你的名字可曾想起了你？痴儿何苦，你快醒悟吧！”

白玉发狂地掀开雾山君：“胡说！白玉这个名字太常见，他想不起来有什么稀奇的？如果看到我的脸他一定会想起我的，一定会……”

她新近成妖，或许是因为雾山君为她选的墓址确实是风水宝地，她妖力竟不弱。雾山君毫无防备地被她掀翻在地，竟呕出一口血来，他啐掉这口血：“白玉，留在我这洞府中做个长生的快活妖不好吗？为什么非要去延续前世的冤孽？”

白玉却充耳不闻，她已近乎癫狂，在洞府里乱七八糟地四处翻找：“你有没有胭脂，有没有女孩子的衣服？我要去见他，得打扮得和一百八十年前一样，这样他就能认出我了……”

终于让她在一口箱子里发现了一套女孩子的衣服和一盒胭脂，她欣喜地用衣服套住自己的白骨之躯，抓着胭脂盒扑到镜子前，嘴里反复念叨着：“看到我的脸，他肯定能认出我……”

在看到镜子里自己的脸的那一刹那，这念叨声戛然而止。

镜子里的哪里是一张妙龄少女的脸？那分明是一个面目可憎的骷髅！

胭脂盒当啷落在地上，白玉不可思议地扭头去看雾山君，雾山君挣扎着起身走到她面前，掰下一块镜子照着白玉的脊背，示意白玉看自己眼前的镜子。

镜子里，白玉的脊背上赫然铭刻着四个大字：白骨夫人。

雾山君向她解释：“怨骨之术，使用此法成妖者，成的便是白骨之精。顾名思义，一副白骨成精，肉身尽化尘土，怎么可能保留得住过去的容貌？”

白玉呆愣了许久，突然发起狂来，她疯狂地毁坏着洞府中的一切，声嘶力竭地发泄着：“雾山君，我恨你！！！”

雾山君任她毁坏着自己的洞府，只是远远地望着她，神情怅然。

“后来我不得不接受了我已经变成白骨精的事实，肉身已毁，容貌不再，我还有什么信心叫你认得出我？成精后的几个月，我躲在白虎山上不敢去见你。直到几个月后，从南疆传来消息，你死了，再次丧生于卷帘手中。”

“成精之后我反倒变得聪明了许多，我去问雾山君，前几世他是不是找到了你的下落，是不是前面几世你都是送命在卷帘手中；他无可奈何，只能告诉我，是的，每一世你都是和尚，每一世你都想要去西方求取真经，然后在未到西方之前，被卷帘杀死。

“雾山君同我说，这就是宿命，陷于循环，不可违抗，让我忘了你，好好做自己的妖精。可我偏不。我曾经质疑过你的佛，那一刻，我对你的佛怀疑憎恶到了极点，若他真有灵，为什么要眼见着自己的忠实信徒一次次死于非命？我不要你信他，他不配你去相信，或许，如果你不信他，就可以改变每一世都被卷帘杀死的命运。

“那之后，我又在白虎山上等了你三十年。这三十年里，我一边等待着你，一边寻找着恢复自己前世容颜的办法……功夫不负有心人，翻遍雾山君的收藏后，竟真让我找到了办法，那就是，画皮。

“画皮之术，与其说是画皮，不如说是借皮，借用别人与自己容貌相近的脸皮，加以描绘，贴在自己的脸上，看上去就像是自己原本的脸。”

“难怪……”青玄蹙眉喃喃道，“我与吴承恩曾经过白虎山，附近村镇有传闻，说白虎山上有妖精，可附身于尸体之上，故而白虎山下村镇亡人下葬时都会尽力请降妖师画符贴在棺材上，以免被盗尸为虎作伥。”

白玉惨淡一笑：“几十年前的事啦……故事以讹传讹罢了。”

她转过头来，凝视着玄奘的眼睛：“你相信吗？我从未害活人，我所取用的脸皮，都是新死不久的妙龄少女的。有时我也想过取用活人的，但我知道，你若知道了会不高兴的……”

成化十七年，当雾山君将一个妙龄少女掼在白玉面前时，白玉对他说的也是这句话。

“送她回去吧，倘若玄奘知道了，会不高兴的。”

雾山君忍无可忍：“你现在已经是个妖怪，拜托你认清楚自己的身份，不要再痴心妄想了！”

白玉描绘着眉毛，头也不回：“是妖就一定要吃人吗，妖就一定要坏事做尽吗，谁规定了妖天生就是低一等的，只能恶贯满盈地沉沦？”

她放下眉笔，送客：“他就快要来了，请你回自己的洞府吧。”

雾山君长叹一口气，转身离开。

白玉重又拾起眉笔，哼着歌描绘着自己的眉毛，她哼的歌是那年一起和玄奘西行时路过南苗山谷时自己所唱的，那时她跟踪了玄奘三个月，他始终倔强地不肯回头望她，直到听到这首歌……

白玉怔怔地望着镜中的自己，慢慢地露出一个倾国倾城的笑容，喃喃自语道："你终于要来了，玄奘，这次，我不会再放你去送死了。"

再过一条街就是镇邪司了，白骨夫人停住脚步，用央求的眼神望着青玄："我们在这儿停一停好吗？让我讲完剩下的故事。"

青玄担忧地望着白骨夫人灰败的脸色，最终却拗不过她眼神里的执拗，只得搀扶着她在路边屋檐下坐了下来。白骨夫人倚靠着他的肩膀，脸上露出微微的笑容："玄奘，你记得吗，在你的上一世里，我们是做过夫妻的？"

大红灯笼高高挂，树上红绸绕满匝，白虎山上弥漫着一派滑稽而阴森的喜庆，白骨夫人要成亲了，成亲的对象是绑架来的一个过路和尚，任谁都觉得好滑稽。

尤其是，这妖精成亲，竟还学足了山下凡人成亲的架势，红绸红灯红嫁衣，白骨夫人的头上还盖着一块描龙绣凤缀珍珠的盖头！来往张罗的小妖们窃窃私语，一个个笑得肚皮都要痛了。

那被绑架来的和尚也被强行穿上了新郎官的衣服，塞进白骨夫人的秀闺里，盆栽似的坐在床上。白骨夫人盖着盖头状似羞怯地坐在他身旁，乍一看，倒真像是一对新人。

许久，和尚终于开口："女施主，贫僧是出家人，要往西天去求取真经，还望女施主放下凡心，莫要阻拦。"

白骨夫人的声音从盖头下传来，有些闷闷的低沉："敢问大师，向西天去，求的是什么经？"

和尚沉吟片刻，回答道："我自幼出家，在皇觉寺中长大。见世人苦痛，常思考为何人生悲苦，但最令我疑惑的还是本寺的僧侣们，出家人本应慈悲为怀，但我常见师兄弟们遁入空门多年后仍无慈悲心肠，倾轧贫苦农户佃户。贫僧实难明了，佛法为何未化解他们心中的戾气，故此，想向西方去问佛祖个究竟，盼能度世人，也度自身。"

白骨夫人呼吸一滞，"度世人，度自身……"多么熟悉的话语，两百多年过去，仍旧是那个人啊。

强压下声音里的颤抖，白骨夫人道："真巧，数百年前，我也曾认识一个与你有着相同想法的高僧，他和你一样，不懂万物之间为何存在着倾轧，为寻求度己度人之法而前往西方求取真经……大师，你想知道他的下场吗？”

白骨夫人抬起一只手，红色衣袖在和尚眼前一挥：“那么请大师，入梦中来吧。”

织梦，白骨夫人在故纸堆中翻到的另一样法术，可将前尘故事织造成梦境，引人入梦，身临其境地观看那一场场故事。

白骨夫人为和尚织的梦，从淳祐十年的初春开始，宋朝和尚玄奘拜别了寺庙的师兄弟，踏上西行道路……他经过白虎山，救了一位妙龄少女，那妙龄少女尾随他西行，在南苗的山谷里，她咄咄逼问他一句话，然而话尚未出口，他就葬身于一个席卷狂沙的妖怪之手。

第二世、第三世……整整八世轮回，他的结局一直如此。

而和尚，早已满头大汗，额角青筋暴跳，似是痛苦不堪。白骨夫人攥紧拳头，将梦境收回，眼中也已是热泪盈眶。编织八世梦境，她在编织的过程中一次又一次地眼见着玄奘的死亡，这是何等的锥心之痛！

这一世，她一定要留他在身边！

她轻轻推一把和尚：“大师，那梦里，你可瞧清楚了？取经人八世死于非命，他从未到达西天，你说，这是为什么？他的佛为什么那么怕他到西天？”

和尚不解地望着她，白玉道：“取经人未曾到达过西天佛国，我却曾到过佛国脚下。在等待他的漫长岁月里，我曾好奇地去往佛国脚下，看看那里的黎民是否安居乐业，你猜我看到了什么？”

和尚摇摇头，白玉淡淡一笑：“我看到的是，妖物横行肆虐，欺凌凡人，凡人穷富悬殊，富人欺压穷人，穷人憎恶富人。这便是佛国脚下。

“我深深为取经人觉得不值，佛国脚下，竟比远离佛国之地更加生灵涂炭，而佛眼见一切却无动于衷。我想起取经人曾对我说，佛家有云，众生平等，那一瞬间我明白了佛的所谓众生平等，不过是在他之下，众生皆为蝼蚁。既然除佛外众生皆如蝼蚁，他视众生苦痛为无物，那信他何用？何必信他？

“我明白了为何取经人八世皆在到达西天前死于非命，因为他的佛根本不想他眼见自己治下的生灵涂炭，怎能让人见识他的无情与无能？第一世，我曾问过取经人一个问题，若你发现佛不如你心中所想，你要怎样？他回答我，那便自成佛。佛又怎会容许自己的权威被挑战甚至于被取代？”

话到此处，白玉身边那和尚眼角的肌肉突然抽搐了一下。

半天，他喃喃发声：“自成佛……”

他的声音很古怪，不似平常那般温和清亮，而是带着丝丝诡异的妖气，平白给这秀闺添了一丝阴森之气。白玉伸手去抓他的手却被他甩开，他嘴里反复喃喃念叨着“自成佛”三个字站起身来，原本清瘦的身材却突然间平添了强烈的压迫感，仿佛是一座高大的铁塔立在眼前，白玉胆怯起来，她颤抖着呼喊他的名字：“玄奘……”

和尚猛地甩开她的手，回头望着她，他的脸上带着诡异的笑，邪异之感竟远超白玉百年来见过的所有妖怪，他沙哑地开口：“我不是玄奘，我乃……”

他没有能说完这句话。

一把月牙铲从他的后背穿过，直穿透胸腹，血喷涌而出，泼洒到白玉的身上，染透了大红的嫁衣和盖头。

月牙铲拔出，和尚，第九世的玄奘跪倒在地上，满脸血污，死不瞑目。

那拿着月牙铲的人冷漠地看了白玉一眼，一手拎起玄奘的颈子，大踏步地走出了洞府。

白玉瘫倒在床前，她头脑全是麻木的，又一次，又一次眼见玄奘死在了自己面前！

仍旧是那人，仍旧是前八世里杀死玄奘的那个卷帘！

半晌，她挣扎着爬起来，一把扯下脸上已被血浸透的盖头，玄奘还没有认出自己，他还没有看过自己的脸，他就这样死了……她跌跌撞撞地奔出洞府，却被眼前的惨象所惊。

整个白虎山上一片狼藉，满是血红，原本没有被红绸覆盖住的地方，如今已泼满鲜血，小妖们的尸体横七竖八躺在地上，挂在树上，整个白虎山恐怕早已无活物！

雾山君……蓦地想起雾山君，白玉朝雾山君的洞府奔去。

洞门大开着，白玉奔进去，看见洞府中的景象，一声短促的尖叫，她捂住嘴巴，眼泪汹涌而下。

雾山君早已死去，尸体就趴在那块虎皮上，他被月牙铲割断喉咙，流出的血把虎皮都要浸透了。

成化十七年，白虎山全山精怪，除白骨夫人外，皆为卷帘所灭。

一年后，南苗卷帘洞府外，白虎山白骨夫人求见深沙大王卷帘。

小妖怪进府通报，卷帘蜷卧在榻上，听到消息哧地一笑：“请夫人进来一叙。”

片刻后，白骨夫人款款走进来，卷帘起身，用戏谑的目光注视着她：“怎么，你想来为你的夫君和你白虎山满山的精怪报仇？”

出人意料地，白骨夫人却只是摇摇头："不，我是来投奔大王的。"

卷帘惊讶地坐直了身体："你说什么？你的丈夫死于我手，白虎山满山精怪也在我手里灰飞烟灭，你竟然要投奔于我？"

白骨夫人的视线掠过卷帘座上镶嵌的九个骷髅……那是九世的玄奘，她咬咬嘴唇，将恨意从眼底压下："大王错了，我与他们之间并无恩义，有的也只是仇怨。"

她将身世娓娓道来："我原本是白虎山下村落的一名凡人，因痴恋玄奘而丧生。白虎山雾山君将我度化成妖。我等了九世，只为与玄奘再续前缘，谁知他竟九世负我，一个月前我强要与他成亲，他更是推开我转身就走，如此负心人，我为何要为他报仇？我恨他，恨他对我无情无义，也恨雾山君，恨他将我变得不人不鬼。所以我要报复，我要投身大王门下，不求其他，只求来世大王斩杀玄奘时，能让我亲手给那负心人一刀！"

卷帘洞府门缓缓落下，从此，白虎山白骨夫人正式归于南苗卷帘门下。

"那之后，我又等了三十年，终于等到了你。这一世，你终于想起了我，真是太好了。"

白骨迷恋地伸出手抚摸过青玄脸上的每一寸："你知道吗，玄奘？我听人家说过，情到深处情转薄，那时候我还小，不明白是何解，但是在等待你的几百年里我懂了。

"一开始，我想让你背叛你的佛，爱我。

"后来，我想，你不放弃你的佛也没什么，只要你爱我。

"再后来，我想，你不爱我也没什么的，只要你能活着。

"所以，我才去投奔了卷帘，只为来日能救你一命，你能记起我是最好的，但你若不能记起……那也便罢了，只要你活着。"

她仰起脸微微笑着，阳光透过树叶洒在她的脸上："起初，我以为我对你是非同一般的，但两百年来反复琢磨，让我变得越发不确定，越发犹疑。当我只求你能活命的时候，几乎已经信了，对你而言，我只是芸芸众生中殊无区别的一分子。"

她转头望向玄奘，巧笑倩兮，眼睛里却流出了泪："所以，我好高兴，当你愿意为解除我身上的永生蛊而放卷帘一命时我好高兴。当我把什么都放弃的时候，却发现自己已经拥有了一切。"

她将侧脸贴在青玄温热的心口上，喃喃道："我好高兴啊，玄奘。"

大明正德二十一年。

校场内的比试如火如荼，卷帘已占据绝对优势，青玄和李棠已被永生蛊吞入腹中。

城墙上，白骨夫人跪在了吴承恩面前：“杀了我！”

杀了自己，永生蛊便会随之灰飞烟灭，到那时，玄奘便可得救。

“我等了你十世，只为救你一命，只要你活着……我已经拥有了一切，我什么都不再求了，只求你活着！”

被千里眼一刀刺穿胸腹，血喷涌而出，白骨委顿在地。

意识随着内丹的消散而渐渐模糊，一片白光里，白玉仿佛又回到了那一年，那是淳祐十一年的冬末，她和玄奘一起上山去找失踪的村民，山上雾大，她贴着玄奘一步步地往前挪，那和尚仿佛有些紧张，她于是故意逗他：“和尚，你知道我最讨厌人什么吗？”

她自顾自说下去：“我最讨厌人虚伪，为私情的偏说是为公义，无作为的偏说是已勘破，蝼蚁在下的偏分高低，冷漠在上的偏说慈悲。”

她顿了一顿，压低了声音，带着暧昧地说：“动了凡心的偏偏念四大皆空。”

隔着黄雾，她分明看见，听到这句话时那和尚的耳朵微微动了一动，红了。